嗨！我是那辆巴士的司机。
听好了，我要离开一小会儿。
我回来以前，
你能不能帮我看好它？谢谢。
哦，还有，记住哟：

别让鸽子开巴士！

〔美〕莫·威廉斯 著　阿甲 译

新星出版社 NEW STAR PRESS

图书在版编目(CIP)数据

别让鸽子开巴士! / (美) 威廉斯著; 阿甲译.-北
京: 新星出版社, 2012.6
ISBN 978-7-5133-0592-1

Ⅰ.①别… Ⅱ.①威…②阿… Ⅲ.①儿童文学-图
画故事-美国-现代 Ⅳ.①I712.85

中国版本图书馆CIP数据核字 (2012) 第035239号

别让鸽子开巴士!

(美) 莫·威廉斯 著

阿甲 译

责任编辑 印姗姗
责任印制 付丽江
内文制作 杨兴艳 田晓波

出 版 新星出版社 www.newstarpress.com
出版人 谢 刚
社 址 北京市西城区车公庄大街丙 3 号楼 邮编 100044
电话 (010)88310888 传真 (010)65270449
发 行 新经典发行有限公司
电话 (010)68423599 邮箱 editor@readinglife.com

印 刷 北京盛通印刷股份有限公司
开 本 710毫米×1092毫米 1/12
印 张 3⅓
字 数 3千字
版 次 2012年6月第1版
印 次 2015年2月第4次印刷
书 号 ISBN 978-7-5133-0592-1
定 价 32.00元

著作权合同登记号 图字: 01-2011-6722

献给彻丽尔

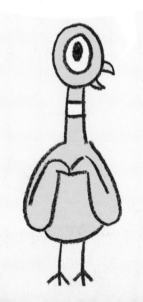